LA VIE

D'UN

HOMME DE BIEN.

DEDIÉE AUX CŒURS GÉNÉREUX.

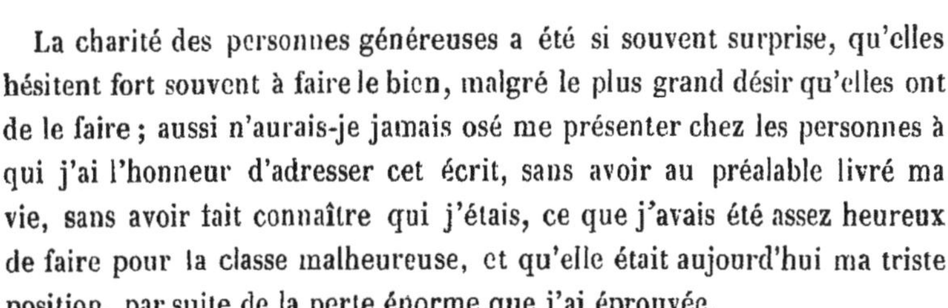

La charité des personnes généreuses a été si souvent surprise, qu'elles hésitent fort souvent à faire le bien, malgré le plus grand désir qu'elles ont de le faire ; aussi n'aurais-je jamais osé me présenter chez les personnes à qui j'ai l'honneur d'adresser cet écrit, sans avoir au préalable livré ma vie, sans avoir fait connaître qui j'étais, ce que j'avais été assez heureux de faire pour la classe malheureuse, et qu'elle était aujourd'hui ma triste position, par suite de la perte énorme que j'ai éprouvée.

Ci-dessous, le résumé des services que j'ai rendus à la société. (*Voir les pièces justificatives au nombre de 13.*)

De 1836 à 1852, j'ai sacrifié une partie du fruit de mon travail pour retirer chaque année un enfant de la misère. Voici de quelle manière j'opérais : A la fin de chaque année scolaire, l'enfant appartenant à la famille la plus malheureuse, qui, par son aptitude à l'école gratuite de la commune, avait le mieux mérité, j'en faisais un bon ouvrier, en lui donnant un subside qui permettait à sa famille de le nourrir, ce subside pour son apprentissage s'élevait à 500 fr. (*Seize enfants ont reçu cette récompense*).

En 1829, à Nantes, au risque de mes jours, j'ai sauvé, à la nage, la vie à deux personnes.

En 1838, à Lorient, à l'aide de mes pieds et de mes mains, je suis descendu dans un puits de 10 mètres de profondeur pour retirer une malheureuse femme ; une heure après cette action, la personne que je venais d'arracher à une mort certaine était bien portante ; tandis que moi, je suis resté six mois sur le lit.

En 1843, à Lorient, dans une incendie, je passai deux fois par les flammes pour préserver les papiers et les valeurs d'un notaire ; dans cette circonstance, j'ai eu la jambe droite brisée et la gauche brûlée.

En 1848, à Cherbourg, je fournissais gratuitement des outils aux malheureux ouvriers afin qu'ils pussent travailler.

Les blessures que j'ai reçues pour actes de courage me mettant dans l'impossibilité d'exercer ma profession comme ouvrier ; je viens faire un appel aux cœurs généreux, afin de pouvoir créer un établissement qui me permettra de subvenir aux besoins de ma famille, et de rembourser, si Dieu me vient en aide, ce que j'aurai reçu, car je considérerai ce que je recevrai comme un prêt.

L'industrie a aussi son champ de bataille et ses héros ; l'homme qui sacrifie le fruit de son travail pour retirer les enfants de la misère, et en faire de bons ouvriers et d'honnêtes citoyens, doit avoir autant de droits à la bienveillance et à l'intérêt des gens de bien, que celui qui sur le champ de bataille les détruit.

J'ose espérer que, aujourd'hui que je suis malheureux, l'on voudra bien faire pour moi ce que toute ma vie j'ai été assez heureux de faire pour les autres.

Nota. Porteur de mes pièces justificatives, j'aurai l'honneur de me présenter chez vous, avec une liste de souscription, deux jours après la remise de cet écrit. Les personnes qui ne voudraient pas me recevoir, voudront bien avoir l'obligeance de faire remettre au Concierge le présent imprimé.

J.-M.-A. MERMILLIOD.

Je suis né à Lorient en 1809 ; un mois après ma naissance, la mort de mon père me laissait orphelin, sans fortune. Ma mère avait pour toutes ressources le faible salaire, trop souvent insuffisant, que lui assurait son travail de chaque jour. Pendant plusieurs années, j'ai eu à lutter contre les privations, seul, sans appui, sans un ami qui s'intéressât à mon sort. Je n'eus d'instruction que celle que l'on donne dans les écoles gratuites de la commune. J'y restai quatre années, et à onze ans, je fus assez heureux pour être reçu le premier à un examen que passa M. le Recteur de l'Académie de Rennes. Ayant une assez jolie écriture, j'entrai chez un avoué pour barbouiller du papier timbré ; je suis resté deux ans dans cette maison. Désirant apprendre la profession de serrurier, mais ne pouvant payer le prix de mon apprentissage, je fus trouver un maître, M. C.... pour le prier de m'apprendre sa profession, et qu'en échange je lui ferais ses écritures après ma journée ; il m'accueillit avec bonté et consentit à ce que je désirais. Pendant les trois ans que je restai chez lui, je m'efforçai, par mon activité et mon travail, de lui témoigner toute ma reconnaissance, et je le quittai à regret pour aller puiser ailleurs une connaissance plus approfondie de mon état.

Je partis de Lorient, le sac sur le dos, le cœur gros, car c'était la première fois que je quittais ma mère, que j'aimais, qui était mes seules affections. Aussi, ma première journée de voyage fut triste ; mais le lendemain, à une lieue de Vannes où j'avais couché, je rencontrai un jeune homme de mon âge, ouvrier menuisier, qui, comme moi, se rendait à Nantes ; il paraissait avoir les mêmes idées que moi : travailler et s'instruire, afin de réussir à se faire, par la suite, une position honorable. Cette journée me parut moins triste ; la société d'une personne de mon âge, ayant les mêmes sentiments, me fit oublier les soucis et les chagrins de la veille. Le soir du troisième jour de route, nous arrivâmes à Nantes. A l'entrée de cette ville, nous nous séparâmes en nous donnant rendez-vous pour le prochain dimanche. Il se rendit chez la mère des compagnons menuisiers ; moi, chez la mère des compagnons serruriers du Devoir. Le lendemain, je fus embauché par le compagnon de semaine chez un nommé C......, faubourg Saint-Clément. Je gagnai peu les premiers temps ; mais, comme je vivais modestement, j'étais heureux. Tous les dimanches, j'allais me promener avec l'ouvrier menuisier, avec lequel j'avais voyagé pendant deux jours. Cette société fut pour nous un bonheur, et nous empêcha de nous lier avec des personnes qui auraient pu avoir une toute autre conduite.

Un dimanche, étant à me baigner dans les prés de Mauves, j'eus le bonheur, au risque de mes jours, de sauver la vie à deux pères de famille.

Je quittai Nantes pour aller travailler à Clisson, puis à Bourbon, à La Rochelle à Rochefort, à Saintes et à Bordeaux. Je rentrai à Lorient pour satisfaire à la conscription : j'eus le bonheur d'avoir un bon numéro. Je repartis aussitôt pour Rennes, Caen, Le Havre, Rouen et Paris. Enfin après plusieurs années d'absence, je revins à Lorient (en 1834). J'ouvris un atelier avec mes économies, et, dès la première année, le succès dépassa de beaucoup les espérances que j'avais osé concevoir.

Alors, en comparant ma vie présente à mon état passé, je sentais que j'avais à payer la dette de la reconnaissance qu'il ne m'avait pas été donné d'acquitter envers mon ancien patron. Je pris, à vingt-six ans, l'engagement de retirer chaque année un enfant de la misère pour en faire un bon ouvrier, un bon citoyen, en lui assurant un salaire qui, pendant les trois années d'apprentissage, s'élèverait à *cinq cents francs.*

J'ai pris successivement onze enfants dans la même ville. A tous, j'ai tenu parole ; huit sont devenus d'excellents ouvriers.

On lira avec intérêt la lettre que m'adressait à ce sujet le Président de la Société Maçonnique. J'ai joint cette lettre aux pièces justificatives qui accompagnent cette brochure. (Pièce N° 1.)

En 1838, j'eus le bonheur de sauver la vie à une malheureuse femme. Je descendis dans un puits de dix mètres de profondeur, sans autres moyens que l'aide de mes pieds et de mes mains.

En 1843, un incendie violent se déclara chez M. Dubouctiez, notaire. Je fis en cette occasion mon devoir ; j'eus la jambe droite brisée et la gauche brûlée. (Pièce N° 2.)

En 1847, au mois d'avril, je quittai Lorient, où la confiance de mes concitoyens m'avaient fait élire membre du conseil municipal. (Pièce N° 3.)

Je vins à Cherbourg, où j'avais entrepris tous les travaux de ferrures et ferrements du nouveau casernement d'infanterie de marine, des bureaux de la majorité et de la maison d'arrêt. Sur tous ces travaux, j'ai perdu une somme énorme pour un ouvrier sans fortune et qui vit de son travail. Cette perte m'a été d'autant plus sensible, que je ne la puis attribuer à l'inexactitude de mes combinaisons et de mes calculs. (Mémoire justificatif N° 4.)

Je n'en ai pas moins continué à Cherbourg l'œuvre philantropique que j'avais commencée à Lorient.

Chaque année, l'enfant le plus malheureux qui m'était signalé comme s'étant distingué à l'école gratuite de la commune par son travail et son application, je l'ai pris dans mes ateliers, en lui assurant, pendant les trois années de son apprentissage, un salaire qui s'est élevé à CINQ CENTS FRANCS (Pièces N°s 5, 6, 7, 8 et 9.)

En 1848, après la Révolution de Février, la vue de tant d'ouvriers sans ouvrage et sans pain, me rappela plus que jamais mon premier état. Ne pouvant leur donner d'ouvrage, je voulus faire pour eux des démarches et venir à leur aide. A ma prière, M. le Maire, à la disposition duquel j'avais mis tous les outils nécessaires, put employer un grand nombre de ces malheureux. (Pièce N° 10.)

Au mois d'Octobre 1848, M. le Sous-Préfet de Cherbourg m'informait que M. le Préfet de la Manche connaissant, par ses rapports, les titres qui pouvaient me recommander à la bienveillante attention du Gouvernement, avait bien voulu demander à M. le Ministre une récompense honorifique en ma faveur. Le 30 Octobre, j'écrivis une lettre à M. le Préfet pour le remercier de sa sollicitude pour moi (PIÈCE N° 11.) Le 7 Novembre, M. le Préfet m'écrivait lui-même qu'il ne désespérait pas du succès de sa demande, et qu'il ne la perdrait pas de vue. Elle est cependant restée sans effet jusqu'à ce jour (PIÈCE N° 12).

Je n'ai fait que mon devoir en faisant le bien, je le sais, mais en voyant Sa Majesté l'Empereur s'occuper avec une si touchante sollicitude du sort des ouvriers, j'ai pensé qu'il apprendrait avec intérêt que, dans un coin de la France, un obscur ouvrier a depuis longtemps la même pensée, que chaque jour de sa vie il a cherché à la réaliser, et qu'à ce titre il pouvait être digne de sa bienveillante attention.

Dans cette idée, j'adressai à Sa Majesté plusieurs demandes, qui toutes sont restées sans réponse.

Je sais que quand on est seul, sans appui, sans protection, il est difficile de se faire entendre ; mais qui donc donnera de l'espoir à nos familles désespérées et nous rendra justice ? (Dieu, sans doute, à qui tout est appelé à rendre compte de ses actions).

PIÈCES JUSTIFICATIVES.

N° 1.

A l'Orient de Lorient, le 1er jour du 6me mois de l'année 5836.
(Ere vulgaire 1er Août 1836.)

S∴ S∴ S∴

T∴ C∴ F∴

Je vous adresse le jeune prof∴ Boëdec (Baptiste-Jules), qui vous a été désigné par le Maire comme celui des élèves de l'école gratuite qui méritait le mieux la haute faveur dont votre zèle maç∴ veut bien encourager cette institution.

Votre rare modestie, votre amour pour la vraie charité vous a conduit, T∴ C∴ F∴ à vouloir cacher le nom du bienfaiteur et en laisser tout le mérite, du moins aux yeux du public, à la L∴ à laquelle vous appartenez ; honneur deux fois à vous, T∴ C∴ F∴, à vous qui avez si bien compris qu'une bonne action faite dans le secret a bien plus de mérite aux yeux de Dieu que celle publiée.

C'est au nom de tous vos FF.·. que je viens vous dire combien votre action aura de retentissement dans leurs cœurs.

En mon particulier, mon C.·. F.·., je m'estime heureux d'avoir été choisi par notre atelier pour donner la lum.·. à un maçon tel que vous.

Agréez l'assurance du dévouement de votre F.·.

LE PRÉSIDENT,

Signé ROZAN.

N° 2.

Nous, soussignés, tous habitants de la ville de Lorient,

Certifions avoir parfaitement connu M. Joseph-Marie-Auguste MER-MILLIOD, maître forgeron, actuellement demeurant à Cherbourg, tant qu'il a exercé sa profession dans notre ville, et savoir que pendant qu'il y a résidé, il s'est fait toujours remarquer par son désir d'être utile à ses semblables, et surtout aux malheureux et par l'énergie de son caractère.

Nous pouvons citer entre autres faits qui lui font honneur, ceux-ci après :

Il avait établi comme règle, dans ses ateliers, d'y recevoir comme apprenti à titre gratuit, chaque année, l'élève de l'école communale qui lui était signalé par le maire, comme ayant mérité cet avantage par sa bonne conduite.

En 1838, passant rue des Fontaines, à Lorient, il entendit des cris dans une cour dépendant de la maison Fleury, il y pénètre, et voit les habitants de la maison consternés, qui entourent un puits profond, où venait de se précipiter une pauvre femme âgée, dans un moment de délire ; sans hésiter et sans calculer le danger, il s'élance dans ce puits, y descend en s'aidant de ses pieds et de ses mains, sans cordes ni autres moyens ; quelques instants après, il faisait remonter la pauvre femme, qu'il avait arrachée à une mort certaine.

En 1843, un incendie violent se déclara chez M. Dubouctiez de Korguen, Notaire à Lorient, à 2 heures du matin, arrivé un des premiers sur les lieux, il contribua puissamment par son activité et son énergie à préserver d'une perte éminente toutes les valeurs que renfermait l'étude de ce notaire, il déménagea les valeurs les plus importantes, les mit en sûreté, et se fit même une blessure assez grave à la jambe en descendant la caisse.

Telle a toujours été la conduite de M. Mermilliod parmi nous.

En foi de quoi nous lui avons délivré le présent certificat.

LORIENT, le 12 juin 1852.

Ont signé : POUSSIN, Docteur-Médecin, membre du Conseil municipal;
CHARPENTIER (Auguste), Président du Tribunal de Commerce, ancien Maire ;
DUBOUCTIEZ DE KORGUEN, Notaire ;
LAGILLARDIÈRE, Avoué ;
A. OUIZELLE, Banquier ;
LAITY, Propriétaire ;
TUNQUERAY, Marchand ;
BOULOT, Négociant ;
PARMENTIER, Architecte ;
MALINJOUD, Marchand ;
J.-M. LE GOFFE, Marchande ;
TORCE, Chevalier de la Légion-d'Honneur.

VISA DU MAIRE.

Vu pour la légalisation des signatures, au nombre de DOUZE, *apposées ci-dessus.*

Hôtel-de-ville de LORIENT, le 15 juin 1852.

L'ADJOINT FAISANT LES FONCTIONS DE MAIRE,
Signé : JEHANNOT.

VISA DU SOUS-PRÉFET.

Vu pour la légalisation de la signature de M. Jehannot :
LE SOUS-PRÉFET, *signé :* DELANANTE.

N° 3.

DÉPARTEMENT DU MORBIHAN. — ARRONDISSEMENT DE LORIENT.

CERTIFICAT DU MAIRE DE LORIENT.

Le MAIRE de la ville et commune de Lorient, Chevalier de la Légion-d'honneur;

Certifie que M. MERMILLIOD, fabricant de Taillanderie, membre du Conseil municipal, natif et domicilié de cette commune, y a toujours tenu une conduite honorable, et y a constamment joui de l'estime des personnes dont il est connu et avec lesquelles il est en relations journalières.

En foi de quoi, le présent lui a été délivré, pour valoir ce que de raison.

Hôtel-de-ville, le 2 avril 1847.

LE MAIRE DE LA VILLE DE LORIENT,

Signé : A. CHARPENTIER.

N° 4.

MÉMOIRE JUSTIFICATIF SUR LA PERTE QUE J'AI ÉPROUVÉE.

De 1844 à 1849, j'ai exécuté, comme sous-traitant, toutes les ferrures et ferrements des nouveaux casernements d'infanterie de la marine, des bureaux de la majorité et de la maison d'arrêt du port de Cherbourg (travaux d'une valeur de deux cent soixante-dix mille francs) ; sur tous ces travaux, j'ai perdu une somme énorme pour un ouvrier sans fortune, et cela parce qu'un article du cahier des charges, qui présentait un sens ambigu, n'a pu être bien compris par un ouvrier qui ne connait pas toute la valeur des mots.

Je vais, sur cette perte, vous donner sommairement, et de la manière la plus précise, tous les détails de cette affaire.

C'était la première fois que l'administration de la marine faisait exécuter par adjudication de tels travaux : aussi la rédaction des cahiers des charges a t-elle demandé toute une étude, et c'est moi naturellement qui, ayant à faire l'épreuve de leur application nouvelle, par rapport aux travaux en métaux, ai eu à supporter une ruine désastreuse, causée tout simplement par l'ambiguité d'un article, en vertu duquel on prétend faire comprendre dans les prix du bordereau, les plombs des scellements, les broches, les vis et les rivets, sans les peser avec les ferrements ; tandis qu'il est toujours d'usage dans le commerce, aux ponts et chaussées et dans le génie de peser ces articles, et de les payer aux prix des objets auxquels ils s'appliquent, telle a été ma pensée quand, d'accord avec l'entrepreneur, nous avons établi les prix pour la soumission.

Quant à MM. les entrepreneurs, ils ont réclamé, je le reconnais, devant l'administration du port de Cherbourg et devant le conseil de préfecture de la Manche, mais toujours sans succès, parce qu'on leur a opposé la définition académique d'une phrase interprêtée par nous dans le sens purement pratique.

On n'a pas eu égard à la manière dont nous avons établi nos calculs pour fixer nos prix, on n'a pas même eu égard à ce que l'application de l'article en question, interprété dans le sens de l'administration donnait des prix impossibles, puisque, dans les marchés subséquents, la marine a traité de gré à gré avec d'autres entrepreneurs, à cent pour cent d'augmentation.

Plus tard, l'administration de la marine a mis de nouveau en adjudication l'hôpital de la marine, ainsi que les nouveaux bâtiments d'artillerie du port de Cherbourg, mais cette fois, instruits par l'expérience, aucun des entrepreneurs n'a voulu soumissionner à de telles conditions. Aussi la marine a-t-elle été obligée de traiter de gré à gré l'exécution de ces travaux en changeant ses conditions et en payant aux entrepreneurs des bâtiments d'artillerie ce qu'elle avait refusé de me payer.

Les prix que je recevais pour un gond à mamelon tourné, chappe blanchie et pesant 2 kilogrammes, étaient . . . . . 2 fr. 86 c.

Voici ce qu'il m'en coûtait pour la pose :

Pour entaille dans le granit	1	40
Pour plomb.	1	75
Pour charbon et temps d'ouvriers	»	15
TOTAL.	3	»

Voici les prix donnés par un traité de gré à gré aux entrepreneurs des nouveaux bâtiments d'artillerie :

Pour un gond semblable	5 fr.	» c.
Pour plomb, et il y en avait moins.	1	15
Entaille dans le granit. . . . . , ...	1	50.
TOTAL.	7	65

J'ai reçu 2 fr. 86 c. pour un travail pour lequel les entrepreneurs des bâtiments d'artillerie ont reçu 7 fr. 65 c., ou je n'ai pas reçu ce qui me revenait, ou les entrepreneurs des bâtiments d'artillerie ont reçu cent pour cent de plus qu'il ne leur appartenait, tous les rivets, les broches et les vis qui ont servi à poser les pentures, les serrures et les ferrements ont été pesés et payés aux entrepreneurs des bâtiments d'artillerie ; moi j'ai fourni tous ces articles pour rien ; en un mot, toutes les ferrures scellés dans le granit, m'ont plus coûté pour les poser et les sceller que je n'ai reçu d'argent pour les fournir, ce qui fait que je les fournissais pour rien.

L'administration de la marine ne veut point reconnaître qu'elle a eu tort dans sa rédaction, et cependant, elle paie à d'autres ce qu'elle a refusé de me payer, à peine de ne point trouver d'entrepreneurs qui veuillent se charger de ses travaux.

A la suite de ce mémoire, je crois devoir donner copie des certificats de capacité qui m'ont été remis, par MM. les ingénieurs du port et de la ville de Cherbourg.

CERTIFICAT DE CAPACITÉ.

L'ingénieur des ponts et chaussées, chargé du service de l'arrondissement du Nord de la Manche, soussigné, certifie que M. Mermilliod a fait exécuter, pour les besoins des travaux du port de commerce de Cherbourg et pour ceux de l'entretien des routes, un assez grand nombre d'objets en métaux, et entre autres d'outils qui, par leurs formes, la perfection des procédés de fabrication, leur solidité, etc., ont remplacé avec avantage les outils du même genre que l'on employait avant lui.

Certifie, en outre que dans les rapports qu'il a eu avec M. Mermilliod au sujet de la confection de ces outils, il a été à même de remarquer en lui beaucoup d'intelligence, une grande aptitude au travail, ainsi que des connaissances techniques, qualités qui le rendraient propre à remplir un emploi dans un établissement métallurgique important et dans un exploitation de chemin de fer.

Cherbourg, le 1er juin 1852.

Signé : **J. DE SERRY.**

CERTIFICAT DE CAPACITÉ.

L'inspecteur général, soussigné, des ponts et chaussées, directeur des travaux hydrauliques du port et de la rade de Cherbourg, certifie que M. Mermilliod a été employé depuis 1843 jusqu'en avril 1852, par divers entrepreneurs de grandes constructions civiles au port de Cherbourg, pour la confection de la plupart des articles en métaux ; pour laquelle il avait monté des ateliers importants dans la ville de Cherbourg ; que M. Mermilliod a été aussi à diverses reprises fournisseur au port de Cherbourg, d'un grand nombre d'outils de taillanderie et de ferrements, et que, dans ces diverses situations, il a montré des connaissances et une capacité techniques qui lui rendraient apte à être employé dans les travaux et exploitations de chemins de fer, d'usines industrielles pour les métaux et objets en métaux.

Cherbourg, le 27 mai 1852.

Signé, **REIBELL.**

N° 5.

LETTRE DE M. LE MAIRE DE LA VILLE DE CHERBOURG,
3 Mai 1849.

MONSIEUR MERMILLIOD,

J'ai soumis au Conseil municipal la lettre du 16 avril dernier, que vous m'avez adressée pour me faire part de vos intentions de prendre encore cette année, pour lui apprendre une profession, l'enfant appartenant à la famille la plus malheureuse, qui aura le mieux mérité à l'école gratuite.

Le Conseil municipal, Monsieur, a accueilli avec beaucoup d'intérêt votre proposition, et a pris à ce sujet, une délibération dans sa séance du 3 de ce mois.

J'ai l'honneur de vous en adresser une copie.

Recevez, Monsieur, mes salutations et l'assurance de ma considération distinguée.

Le Maire de la ville de Cherbourg,
Signé : MORIN.

N° 6.

EXTRAIT DU REGISTRE DES DÉLIBÉRATIONS
Du Conseil municipal de la ville de Cherbourg.

2ᵐᵉ Session ordinaire de 1849. — Séance du 3 mai.

Présents : MM. Morin, *Maire ;*

Poulain, *Adjoint ;*

De Serry, Le Maitre, De Brucan, Alfred Liais, Coupey, Henry, Durand, Leguillon, De Lavrignais, Ludé, Hervieu, Yvon, Henneville, Le Seigneurial, Noël, Chaufard, Belin ; Foulon, *Secrétaire.*

Le Conseil entend avec le plus vif intérêt la lecture de la lettre de M. Mermilliod, fabricant de Taillanderie, qui annonce que cette année, comme les années précédentes, il recevra dans ses ateliers, pour lui apprendre son état gratuitement, et même avec promesse d'un subside suffisant à son existence, un enfant sortant des écoles communales et ayant obtenu quelques succès à la distribution des prix. La préférence sera accordée à l'élève qui se sera fait remarquer par le plus de docilité et d'aptitude au travail.

Le Conseil exprime sa profonde reconnaissance pour la généreuse action de M. Mermilliod ; il recommande à M. le Maire, de lui envoyer une copie de la présente délibération et de transmettre aux instituteurs com-

munaux une copie de la lettre de M Mermilliod, afin qu'ils puissent sti-
muler le zèle de leurs élèves par une récompense avantageuse aux familles
pauvres.

Pour copie conforme :

LE MAIRE DE CHERBOURG,
Signé : MORIN.

N° 7.

PHARE DE LA MANCHE (GAZETTE DE CHERBOURG),
Jeudi 17 mai 1849.

Nous citerons avec plaisir ce que fait un de nos industriels des plus
intelligents et des plus honorables.

M. Mermilliod a habité Lorient avant de venir fonder à Cherbourg un
établissement de Taillanderie. A Lorient, plusieurs enfants ont été admis
gratuitement dans ses ateliers comme apprentis.

Pendant leur apprentissage, ils ont reçu près de *cinq cents francs* chacun,
à eux donnés comme encouragement, et pour récompenser un bon travail.

Tous ces jeunes gens sont devenus d'excellents ouvriers, se conduisent
bien et sont tous placés avantageusement dans différentes usines.

Depuis qu'il habite Cherbourg, M. Mermilliod a déjà admis dans ses
ateliers deux jeunes apprentis, dont la conduite et le travail sont très-
satisfaisants, et il a écrit à M. le Maire qu'après la distribution des prix, à
la fin de l'année scolaire, il recevra avec plaisir, comme apprenti, un élève
qui se sera fait distinguer dans sa classe. Il n'est pas à douter que M. le
Maire n'oubliera pas une telle offre, et qu'il s'empressera de fournir à
M. Mermilliod l'occasion d'apprendre un état à un enfant dont les parents
n'auraient pas les moyens de payer un apprentissage.

Outre l'apprentissage gratuit, le jeune homme reçoit, de M. Mermilliod,
une indemnité suffisante pour subvenir à son existence.

N° 8.

Voici ce qu'écrivait M. De Brucan, directeur du Bureau de charité,

Dans le Journal LE PHARE DE LA MANCHE, *n°* 70, *année* 1850.

M. Mermilliod, toujours constant dans l'accomplissement des bonnes
œuvres, ayant encore proposé cette année de prendre un apprenti rétri-
bué, d'après un concours de dix élèves appartenant aux écoles commu-

nales qui y ont pris part. L'élève Gardin, a été proclamé pour jouir de cette faveur.

(Phare de la Manche, *n° 70, année* 1849.)

Avant l'appel des lauréats, l'excellent M. De Brucan, qui ne manque jamais de prendre part aux réunions, qui ont la bienfaisance ou l'utilité publique pour objet, a proclamé le jeune Bonissent comme ayant mérité, après examen, d'être choisi pour entrer comme apprenti dans les ateliers de M. Mermilliod.

A cette occasion, M. De Brucan s'est rendu l'organe de la reconnaissance publique en remerciant, au nom de la classe laborieuse, cet honorable industriel qui, tous les ans, reçoit gratuitement comme apprenti, un jeune homme ayant fini ses études primaires, et lui donnant un subside qui permet à sa famille de le nourrir.

C'est avec le sentiment de la plus vive satisfaction, a dit M. De Brucan, qu'au nom du maire de Cherbourg, nous avons l'honneur de vous annoncer que, par suite de la généreuse demande faite par l'honorable M. Mermilliod, demeurant en cette ville, d'après les propositions de nos estimables instituteurs, le 23 du courant, au collége, nous avons passé l'examen de sept élèves. Celui d'entre eux qui a le mieux répondu à nos questions, Bonissent (Alphonse), étant agréé par M. Mermilliod, à partir du 1er septembre prochain cet excellent sujet entrera en apprentissage, et dès la première année, il gagnera 40 centimes par jour ; la deuxième année, 50 centimes ; la troisième année, 60 centimes. Cet enfant est le troisième dont M. Mermilliod à la bonté de se charger depuis son séjour dans notre ville.

N° 9.

VILLE DE CHERBOURG. — DÉPARTEMENT DE LA MANCHE.

Nous, Maire de la ville de Cherbourg,

Certifions que M. Mermilliod Joseph-Marie-Auguste, fabricant de taillanderie en cette ville, a fondé un établissement dans lequel il occupe un certain nombre d'ouvriers ; que, depuis la fondation de son établissement qui a eu lieu en Avril 1847, chaque année M. Mermilliod a demandé à l'Administration de lui désigner un élève pris dans les écoles gratuites et appartenant à une famille malheureuse, qui aurait fait preuve d'intelligence et se serait distingué par sa bonne conduite ; que les jeunes gens qui lui ont été ainsi désignés sont entrés chez lui comme apprentis avec un salaire qui leur permettait de subvenir à leurs premiers besoins.

Certifions, en outre, que la conduite de M. Mermilliod a toujours été celle d'un bon citoyen, qu'il a été élu par ses concitoyens officier de la garde nationale, qu'il a donné sa démission avant l'arrêté de dissolution de la compagnie à laquelle il appartenait, et que la confiance qu'il inspirait à l'Administration l'a fait désigner pour être l'un des commissaires du dîner et du bal offerts par la ville à M. le Président de la République.

Cherbourg, le 8 Février 1851.

Le Maire de la ville de Cherbourg,

LUDÉ.

Vu pour légalisation : Cherbourg, le 8 Février 1851,

LE SOUS-PRÉFET,

DECHARENSAY,

Nᵒ 10.

SERVICES RENDUS A LA SOCIÉTÉ.

A Monsieur Mermilliod, maître-mécanicien.

Monsieur,

Vous avez eu l'obligeance de promettre de prêter gratuitement des outils pour les ouvriers sans travail que nous allons occuper. L'administration aurait besoin de pelles, de pioches, pour l'atelier municipal.

J'ai l'honneur de vous inviter, Monsieur, à vouloir bien remettre le ombre des outils que vous pouvez délivrer à la disposition de M. Le Jéal architecte-voyer de cette ville, qui est chargé de la direction de l'atelier dont il s'agit.

Veuillez recevoir, Monsieur, mes remerciements bien sincères pour votre obligeance à venir en aide à nos ouvriers nécessiteux et recevoir l'assurance de ma parfaite considération.

LE MAIRE DE CHERBOURG,

Signé, MORIN.

Le 17 Mai 1848.

Nᵒ 11.

EXTRAIT DE LA LETTRE ADRESSÉE PAR MOI, A M. LE PRÉFET DE LA MANCHE.

Cherbourg, le 30 octobre 1849,

«Monsieur le Préfet,

« J'ai appris qu'à votre demande, M. le Sous-Préfet de Cherbourg » avait fait un rapport sur la conduite que je tiens à l'égard des enfants « appartenant aux familles malheureuses, et que vous aviez adressé cette « pièce à M. le Ministre du commerce.

« Je viens vous remercier, M. le Préfet, de votre sollicitude pour moi.

« En faisant connaître au Gouvernement les hommes qui font du bien
« et ceux qui font du mal, est un devoir de l'autorité administrative dé-
« partementale, afin que l'État récompense les uns et punisse les autres.

« La conduite que je tiens à l'égard des enfants appartenant aux familles
« malheureuses date de douze ans. Depuis cette époque, j'ai pris chaque
« année l'enfant appartenant à la famille la plus malheureuse, qui, par
« son aptitude à l'école gratuite de la commune, a le mieux mérité. Je l'ai
« pris, dis-je, dans mes ateliers, pour en faire un bon ouvrier, et je lui ai
« donné un subside, qui a permis à sa famille de le nourrir. Ce subside
« pour trois années d'apprentissage s'élève à CINQ CENTS FRANCS.
« Je suis cependant sans fortune. Trois fois au risque de mes jours j'ai été
« assez heureux pour sauver ceux de mes semblables.

« Le Gouvernement n'a jamais paru s'apercevoir de ce que j'ai fait. Il
« est encore probable, M. le Préfet, que le rapport que vous avez adressé
« restera dans des cartons.

« Le Gouvernement à trop d'occupation, et il ne peut s'occuper d'un
« ouvrier qui n'a aucune protection ; mais quelle que soit sa décision, je
« n'en continuerai pas moins l'œuvre philantropique que j'ai commencé,
« et je vous remercie, de nouveau, de votre bonne intention et vous en
« conserverai une reconnaissance éternelle.

« Je suis avec respect, Monsieur le Préfet,

« Votre dévoué serviteur,

« MERMILLIOD. »

N° 12.

PRÉFECTURE DE LA MANCHE. — CABINET.

BELLES ACTIONS. — RÉCOMPENSES HONORIFIQUES.

N° 276.

RÉPONSE DE M. LE PRÉFET DE LA MANCHE.

Saint-Lô, le 7 Novembre 1849.

MONSIEUR,

J'ai lu avec beaucoup d'intérêt la lettre que vous m'avez fait l'honneur
de m'écrire le 30 Octobre dernier, pour me remercier et me rappeler
votre belle conduite à l'égard des enfants que vous enlevez à la misère
dans le but d'en faire des apprentis.

Je connaissais, par les rapports de M. le Sous-Préfet, les titres qui vous
recommandent à la bienveillante attention du Gouvernement, et je n'avais
pas attendu votre lettre pour faire connaître vos bonnes actions.

Bien que M. le Ministre n'ait point encore répondu à ma demande d'une récompense honorifique en votre faveur, je ne désespère pas du succès de cette demande, et je ne la perds pas de vue.

Recevez, Monsieur, l'assurance de ma considération,

Le Préfet de la Manche,

DETENLAY.

N° 13

CERTIFICAT DE M. DE BRUCAN.

VILLE DE CHERBOURG.

Je soussigné, Marie-Cézar-Charles De Brucan, ex-premier adjoint à la Mairie de Cherbourg, également ex-membre du comité local d'instruction primaire, Chevalier de la Légion-d'Honneur, pour l'instant membre du Conseil municipal de ce lieu,

Certifie que, par suite de la continuation du bon vouloir dont M. Mermilliod, maître de forges, demeurant à Cherbourg, rue Bonhomme, est toujours animé pour les enfants de la classe ouvrière, dont les parents sont malheureusement indigents; après examen et sur le désir exprimé par cet honorable citoyen, à partir du 3 Septembre 1849, Alphonse-Jean-Auguste BONISSENT, né à Martinvast, le 4 Juillet 1836, demeurant à Cherbourg impasse Bouillon, est entré en apprentissage chez ledit sieur Mermilliod aux conditions suivantes, arrêtées entre le maître, le père de l'enfant en question, et moi, délégué à cet effet par M. le Maire, lesquelles conditions imposées à l'apprenti étaient indépendamment de l'obligation de l'assiduité, l'obéissance au patron et au maître; de son côté, M. Mermilliod promettait au jeune homme, pour ses travaux à l'atelier, 40 cent. pour sa première année, 50 cent. pour la seconde, 60 cent. pour la troisième année, passé laquelle il devait être reçu et classé parmi les ouvriers attachés à la forge de M. Mermilliod, conditions qui fidèlement ont été remplies, par les parties jusqu'au 15 Avril de la présente année 1852, que mon dit sieur Mermilliod, par suite de pertes essuyées, s'est trouvé dans l'impossibilité de continuer les affaires.

Cherbourg, le 8 Juillet 1852.

Signé CH. DE BRUCAN.

Vu pour légalisation de la signature de M. Ch. De Brucan, apposée ci-dessus.

Cherbourg, 8 Juillet 1852.

LE MAIRE, signé LUDÉ.

Imp. Fénard et comp. pass. du Caire, 2.